Juliette
fait du sport

Texte et illustrations de
Doris Lauer

Editions Lito

Le mini-tennis, c'est génial,
sauf qu'on me l'envoie toujours
du mauvais côté, la balle !

À la baby-gym, on grimpe, on fait des galipettes et on saute dans les cerceaux. On ne se fait pas mal parce qu'il y a des tapis spéciaux. Coucou !

La danse aussi, c'est pas mal.
De la souplesse, de la grâce...
il faudra du temps, c'est normal !

Poussez-vous, je dois m'entraîner pour le Tour de France sur mon vétété ! Mon p'tit frère est vraiment épaté. Papa dit qu'il fera un bon supporter.

Attention, les garçons pas gentils qui ne veulent pas que je joue au football parce que je suis trop petite! Juliette a des gros gants rouges très pratiques... pour boxer dans la balle!

-T'as vu maman, je suis presque aussi grande que toi sur mon poney, là-haut! Et maintenant-hou là là, c'est lourd-je vais le brosser et le coiffer pour qu'il soit tout beau!

C'est pas facile de tirer les balles dans les trois trous rouges du golf set d'Edwin. Mais il m'a dit que j'ai déjà un bon swing !

Le sport, ça me fait du bien au corps.
Et à la gymnastique de la maison,
sur les jambes de papa ou maman,
c'est super-rigolo de faire l'avion
qui décolle de l'aéroport !

Lito
41, rue de Verdun 94500 Champigny-sur-Marne
Imprimé en CEE
Loi n° 49-956 du 16 juillet 1949 sur les publications destinées à la jeunesse
Dépôt légal : mars 1998